Meninas incríveis

AS INCRÍVEIS HISTÓRIAS DE MENINAS REAIS QUE FAZEM A DIFERENÇA

Copyright © 2019 Ana Paula Sefton (Org.)
Todos os direitos reservados para Pólen Produção Editorial Ltda.

Grafia atualizada segundo o Acordo Ortográfico da Língua Portuguesa de 1990, que entrou em vigor no Brasil em 2009.

Diretora editorial
Lizandra Magon de Almeida

Coordenadora editorial
Luana Balthazar

Capa e diagramação
Daniel Mantovani

Projeto gráfico
Aline Casassa

Ilustrações
Aline Casassa
Carolina Azambuja
Daniel Wu
Felipe Tognoli

Dados Internacionais de Catalogação na Publicação (CIP)
Angélica Ilacqua CRB-8/7057

Sefton, Ana Paula	
Meninas incríveis / Ana Paula Sefton. -- São Paulo : Pólen, 2019.	
48 p. : il., color.	
ISBN 978-85-98349-94-7	
1. Literatura infantojuvenil I. Título	
19-1994	CDD 028.5

Índices para catálogo sistemático: 1. Literatura infantojuvenil

11 36756077
www.polenlivros.com.br
@polenlivros

agradecimentos

Agradecemos imensamente a cada uma das meninas incríveis, por compartilharem suas histórias e permitirem que estas pudessem ser contadas e registradas neste livro. Sobretudo porque deste livro se criou uma rede de reconhecimento e de inspiração de meninas e para meninas!

Obrigada Alice, Amanda, Ana Julya, Beatriz, Branca, Câmi, Eulália, Juju, Laura, Luciana, Maria Eduarda, Michelle, Raíssa, Valentina, Victória, e suas respectivas famílias.

Agradecemos a cada um/a dos/as ilustradores/as que contribuíram com seu tempo, sua criatividade e inspiração ao aceitarem conhecer a história de cada uma dessas meninas e a representarem suas experiências com a arte de ilustração. Obrigada Aline Casassa, Carolina Azambuja, Felipe Tognoli e Daniel Wu.

Nosso muito obrigada também vai para a assessoria de imprensa voluntária de Lara Ely. E também para o apoio e parceria da editora Pólen, por abraçar conosco este livro e contribuir para torná-lo real.

Sobre o projeto

Convidamos você a conhecer histórias de várias meninas incríveis! São histórias de conquistas, de superação, de criação, de desenvolvimento de autoestima e muito mais! A partir de uma ação nas mídias sociais nos canais de @meninasincriveis, convidamos meninas de todo o Brasil a nos enviarem histórias que narrassem suas experiências e tivessem como foco o empoderamento feminino.

As histórias têm como cenário atividades nos esportes, vivências do dia a dia, brincadeiras, desafios, invenções, projetos, criações, entre outros. E sabe o que torna cada história mais legal ainda? Para cada menina, foram criadas ilustrações personalizadas. Ou seja, cada história traz consigo uma representação da menina em sua grande experiência!

E como esse projeto não poderia ser menos que uma ação incrível, contamos com uma rede de voluntários/as. Esta ação da rede Meninas Incríveis, que culminou na produção deste livro, não tem fins lucrativos, ou seja, as pessoas envolvidas não têm como foco ganhar dinheiro, e sim inspirar o maior número de meninas por esse Brasil afora!

Quatro ilustradores/as aceitaram conhecer cada menina e fazer uma arte especial para representar suas histórias. Também contamos com o trabalho voluntário de diagramação e edição, de assessoria de imprensa, de mentoria e curadoria do livro e da rede de Meninas Incríveis, além do empenho da Pólen Livros para materializar este projeto, com o menor custo possível.

Você é ou conhece uma menina incrível? Gostaria de conhecer e se inspirar com algumas de suas histórias? Então siga as conexões dessa rede de meninas e ótima leitura!

Para você que nos lê

Sabe o que é mais importante para esta coletânea? É que possa circular e ser lida pelo maior número de meninas e pessoas interessadas no tema do empoderamento feminino, diálogo sobre gênero e equidade de oportunidades, além, é claro, de dar visibilidade às meninas que nos compartilharam suas histórias. Que possamos inspirar muitas outras meninas a partir desta leitura!

Por isso, para cada livro impresso comprado, outro livro impresso foi doado para escolas, organizações e para meninas diretamente. Isso mesmo! Quanto mais este livro estiver disponível, mais pessoas poderão refletir e dialogar sobre a importância de acreditar e incentivar para que cada vez mais meninas incríveis descubram seus potenciais.

E a vontade de ver essa rede crescendo não para por aí! Parte do lucro das vendas dos livros será revertida a projetos que atuem em favor do empoderamento de meninas, em favor de dar oportunidade para que elas aprendam coisas novas, desenvolvam sua autoestima, estejam protegidas contra violência (de qualquer ordem) e possam tirar do papel aquele projeto incrível que têm em mente! Você, menina incrível que nos lê, pode começar a contar sua história aqui no final deste livro. Deixamos um espaço para você colocar sua foto ou seu desenho e somar sua conquista a de todas essas meninas incríveis.

Agradecemos de coração sua contribuição e desejamos uma excelente e curiosa leitura!

Ana Paula Sefton
Mentora e curadora da Rede Meninas Incríveis, mestra em Relações de Gênero e Sexualidade em Educação pela UFRGS (RS) e doutora em Sociologia da Educação pela USP (SP)

Prefácio

Ao ler este livro, não pude deixar de reviver as memórias de minha própria infância, quando as dúvidas, curiosidades e teorias sobre o mundo povoavam meus pensamentos, fazendo mover a imaginação daquela menina que observava, atenta, todas as situações à sua volta.

Por que então reunir em um livro histórias vivenciadas por meninas de diferentes idades, cores, localidades, estilos e inserções sociais diversas? Porque as histórias são registros importantes de nossas memórias, especialmente quando falam de superação, de conquistas e aprendizagens. As histórias expressam nossas experiências, repletas de riquezas e criatividade, contribuindo assim para o desenvolvimento da nossa autoestima. E, por isso, os relatos aqui contidos podem inspirar outras meninas (e também os meninos, por que não?), assim como os adultos – afinal todos nós podemos nos identificar, de alguma forma, com as situações retratadas nas histórias que os livros nos trazem.

Este livro, no entanto, em sua concepção original, teve/tem por objetivo demarcar o protagonismo das meninas, acolhendo histórias contadas por elas, relatando sonhos, medos, angústias, sofrimentos, alegrias e situações de superação. Meninas que não se dobraram às imposições sociais e culturais dos scripts de gênero, rompendo assim as expectativas tradicionais traçadas para o feminino e o masculino desde a mais tenra idade.

Apesar da imposição desses roteiros, repletos de expectativas que só limitam, desvalorizam e humilham as capacidades do sexo feminino, elas seguiram firmes em suas convicções, mostrando que meninas podem ser o que elas quiserem: na ciência, nos esportes, nas artes, na política.

As histórias aqui retratadas falam de meninas que não aceitam provocações machistas e que sabem muito bem reconhecer quando seus direitos são violados, percebendo de longe os maus-tratos emocionais e os micros machismos presentes em comentários que tentam depreciá-las. Elas vão em busca de seus direitos fundamentais, recorrendo aos adultos – família, professoras/es – denunciando e exigindo providências, para que sejam respeitadas.

O livro apresenta também meninas que acalentavam o sonho de serem cientistas, imaginando grandes peneiras e enormes esponjas para conter a poluição dos rios. Ou ainda daquelas que ultrapassam limites, que fazem escaladas, subindo cada vez mais alto e além, superando todos os medos. Meninas que competem, disputando campeonatos, ganhando troféus e medalhas, que adoram jogos eletrônicos, games diversos ou ainda esportes radicais. Meninas que adoram jogos de raciocínio lógico-matemático e não veem problema em jogar também com os meninos.

Aqui encontramos histórias de garotas que tocam vários instrumentos – bateria, percussão -, que amam e apreciam a arte, visitam museus, amam literatura e que preferem capoeira ao ballet. Elas também não se curvam às imposições estéticas e padrões de embelezamento, como nos mostram a história da menina de cabelos verdes ou da que assumiu seus cachos quando decidiu fazer a transição capilar.

Temos ainda meninas perseverantes, que dão conselhos e nos ensinam a ter empatia, demostrando prazer em praticar a solidariedade e bolando projetos em busca de igualdade entre homens e mulheres.

Aqui também podemos encontrar histórias de dor e sofrimento, com relatos sobre violência/abuso sexual na infância, o que nos faz pensar o quanto é importante que as desigualdades de gênero e a educação sexual sejam discutidas na escola desde a mais tenra idade, afinal informar é proteger. Ignorar tais situações, fingindo que elas não acontecem é acobertar a violência contra as crianças.

"Meninas incríveis" é um belo exemplo de promoção do protagonismo infantil, que dá voz a elas (e a todas nós), valorizando nossas experiências, desejos, dores e alegrias. São vozes que ecoam através do tempo, sussurrando: Sejam valentes. Vocês sabem o quanto podem!

Jane Felipe é professora titular da Faculdade de Educação da Universidade Federal do Rio Grande do Sul (UFRGS). Possui graduação e licenciatura em Psicologia pela UFRJ, mestrado em Educação pela UFF, doutorado em Educação pela UFRGS e pós-doutorado na área de Cultura Visual, pela Universidad de Barcelona. Integra o GEERGE – Grupo de Estudos de Educação e Relações de Gênero – vinculado à linha de pesquisa Educação, Sexualidade e Relações de Gênero, do PPGEDU/FACED/UFRGS, e é fundadora e coordenadora do GEIN – Grupo de Estudos em Educação Infantil e Infâncias, da mesma instituição.

Raissa

A incrível menina que virou cientista para despoluir os rios

RAÍSSA, 23 ANOS, NOVO HAMBURGO (RS)

Esta história, que faz a abertura da coletânea, é especial. Fala sobre uma menina incrível que já cresceu, a Raíssa, natural de Novo Hamburgo (RS). Desde os 11 anos, ela dedica sua vida a salvar rios.

Quando criança, um desastre ambiental ocorreu no rio dos Sinos, que atravessa sua cidade, e deixou 100 toneladas de peixes mortos! Impactada com o que viu e sabendo da importância de empresas e pessoas em geral cuidarem da natureza e não poluírem as águas, colocou sua cabeça para funcionar. Imaginou que se no rio tivesse uma grande peneira ou uma grande esponja, talvez pudesse ter prevenido que óleo e outros resíduos químicos tivessem contaminado a água e acabado com os peixes e outras vidas aquáticas. Mas como seria isso?

Algumas pessoas podem ter pensado que aquela sua ideia era maluca, pura imaginação de uma menina de 11 anos, não é? Contudo, Raíssa decidiu ir em frente alguns anos depois, quando cursava Química em uma escola técnica, dos 14 aos 19 anos. No processo de conclusão do curso, decidiu criar um material com alto teor de absorção que limpasse óleos, como petróleo e óleo de cozinha, das águas de rios e mares, se inspirando na solução que havia pensado para o desastre ambiental que presenciou na infância. Mas não era uma esponja qualquer, esta era especial! Até o nome era diferente: criptomelano, um mineral produzido a partir de uma reação química.

Durante mais de um ano, muitas coisas deram errado no processo de pesquisa, na criação da esponja

Ilustração • Carolina Azambuja

e no desenvolvimento da absorção correta. Raíssa passava em torno de 15 horas no laboratório buscando o resultado esperado. Foi difícil seguir em frente. Afinal, ser uma jovem, inventora, pesquisadora e criadora de uma solução para um problema complexo como esse exige muita dedicação e conhecimento!

Ao mesmo tempo que muitas pessoas encorajavam a menina, encontrou resistência em alguns professores e laboratórios. Também era desencorajada pela falta de tempo, já que tinha que entregar o resultado final da pesquisa. Até a última semana do prazo o material ainda não estava absorvendo como deveria. Raíssa lembra: "Eu tinha um propósito muito grande, era desafiador para mim. Eu não mudaria de curso nem desistiria da pesquisa, porque a minha ligação com a causa da poluição dos rios era muito forte. Quando, enfim, a esponja absorveu, eu chorei de emoção!"

Com essa criação, Raíssa participou de importantes feiras de ciência e inovação nacionais e internacionais.

"Consegui convencer os jurados da primeira feira, fui classificada para a seguinte. Fiquei cada vez mais empolgada. A partir do momento que foi dando certo, fui para mais feiras. Então, ganhei credenciamento para ir para os Estados Unidos." Embora Raíssa encontrasse mais meninos do que meninas nas áreas de exatas, nas pesquisas e nas feiras de que participou, pensava: "As meninas têm muito talento, mas o problema é que não sabem que podem ir além e que existem todas essas oportunidades por aí".

Depois das premiações, a menina apresentou sua solução para investidores e indústrias, de forma a desenvolver o produto para comercialização. Embora a invenção já esteja patenteada, até o momento ela não conseguiu propostas de financiamento. A incrível menina ficaria muito feliz se alguém pudesse colocar em uso sua criação, já que seu principal propósito sempre foi a solução de um problema ambiental.

De toda essa experiência, Raíssa tem uma certeza: "Às vezes o que falta para a gente sonhar é saber que o sonho pode ser sonhado. Levei muitos nãos, por ser menina e aluna de ensino médio, e tive que ir acompanhada de outros professores/as para me deixarem usar os laboratórios de universidades".

A incrível Raíssa acredita que sua coragem e persistência foram o que a impulsionaram, além do apoio das pessoas importantes ao seu redor: "A gente não faz nada sozinha. Em parte foi por valentia minha. Eu botei na cabeça que ia fazer e fui adiante. Mas nada disso teria sido possível se meus pais não tivessem me apoiado. Além deles, professores/as e amigos/as que me incentivaram, que me abriram as portas. Foi tudo muito difícil e desafiador. A diferença é que eu realmente quis acreditar na minha ideia. Bati muito o pé e foi fundamental a liberdade que eles/as me deram para sonhar, para ir além".

Raíssa agora é uma jovem adulta de 23 anos e segue com a curiosidade por desafios. Já conquistou muitas coisas, inclusive está terminando sua graduação em Psicologia e Neurociência em uma importante universidade dos Estados Unidos, e participou de grupos de pesquisa em suas férias universitárias.

A menina incrível, que cresceu e agora é uma mulher incrível, ressalta que às vezes tem medo de acreditar em "ideias prontas" e de perder a coragem de construir as coisas que quer.

Ela deixa três lições:

(1) Permitam-se. Sejam livres dessa coisa padronizada que a gente aprende da forma errada na vida sobre meninas terem lugares predeterminados. Quando a gente é criança não tem um jeito de funcionar, isso tudo que 'aprendemos' é uma construção humana e podemos questionar.

(2) Acreditem. Acreditem na sua ideia. A única pessoa que irá poder fazer é você mesma. É preciso ouvir seus pais ou professores/as, mas é preciso acreditar na sua loucura, na sua ideia.

(3) Faça. Mantenha a criança dentro de você viva e curiosa. E coloque em prática sua ideia.

Alice

A incrível menina que se veste de argumentos

ALICE, 9 ANOS, RIO DE JANEIRO (RJ)

Alice tem 9 anos, vive no Rio de Janeiro (RJ) e sempre teve uma personalidade marcante. Sua cor preferida é o azul. Gosta mais de salada do que macarrão. As bonecas nunca tiveram vez quando estavam próximas de um carrinho.

Aprendeu desde cedo a ponderar as situações e a argumentar sobre suas ideias e opiniões. É uma menina guerreira e feliz, e supera desafios que a paralisia cerebral lhe deixou.

Muitas vezes, Alice consegue fazer as pessoas verem o outro lado da

Ilustração • Daniel Wu

história e até mesmo mudarem de opinião sobre o assunto. E esta história é sobre uma dessas vezes.

Certa vez, a mãe e o pai da Alice foram convidados a serem padrinhos de um casamento de amigos muito queridos. E perguntaram aos noivos se Alice poderia acompanhá-los no caminho até o altar, para que não ficasse sozinha na igreja. Com a resposta positiva, a menina logo se animou com a posição de destaque e ficou ansiosa para que chegasse o grande dia. Ela entraria na igreja pelo tapete vermelho!

A mãe sabia que seria difícil arrumar um vestido adequado para a ocasião, uma vez que lá pelos 7 anos a menina já havia decidido que saias e vestidos não fariam mais parte do seu vestuário. Tentaram encontrar uma opção bem especial para convencer Alice, algo que não fosse de cor-de-rosa, com flores, laços de fita ou com babados, porque a menina assim não gostava. Finalmente a mãe encontrou um vestido simples, elegante e o melhor atrativo: azul, a cor preferida da menina.

Mais decidida que nunca, Alice não levou mais de três milésimos de segundo para responder com a voz mais irreverente do mundo:

– Eu não vou de vestido, mãe.

– Mas, Alice, você nem olhou o vestido! Você viu que ele é azul? – disse a mãe.

– Vi! Ele é bonito. Mas eu não vou de vestido – falou Alice.

– Então com que roupa você pretende ir? – questionou a mãe.

– Eu vou bem chique! Vou de terno, igual ao papai! – resolveu a menina.

– De terno não, querida! Os noivos não vão gostar de ver você entrando de terno! – explicou a mãe.

– Por que não? Papai não vai de terno? Por que eu não posso ir de terno também? – questionou Alice.

E a mãe da menina pôs-se a pensar. Por que ela não poderia ir de terno também? Mesmo depois de muito refletir, a mãe não encontrou argumentos razoáveis para contestar Alice. Então ligou para a noiva. E a resposta foi: "Só me incomodo se Alice não estiver completamente feliz". Se a Alice quisesse ir de pijama, não teria problema nenhum!

E então decidiram ir em busca de um traje bem bonito: sapato social, camisa social, colete, gravata e uma cartola, que deixasse o look exatamente como a Alice queria.

No dia do casamento, Alice arrasou! Ficou linda e radiante na entrada da igreja, e todos ficaram orgulhosos da menina incrível que, além da cartola na cabeça, também tem muitas ideias e opiniões!

Amanda

A incrível menina que supera seus medos

AMANDA, 11 ANOS, PORTO ALEGRE (RS)

Meu nome é Amanda, tenho 11 anos e sou de Porto Alegre, no Rio Grande do Sul. Pratico um esporte chamado escalada, que é subir rochas e montanhas com a utilização de equipamentos de segurança.

Quando eu era bebê, meus pais já me levavam para os locais de escalada, porque eles também praticam. Aos 3 anos, eu ia nos muros de escalada e ficava subindo e pulando. Na rocha, eu adorava subir até uma certa altura e ficava me balançando muito tempo, eu adorava isso! Aos 6 anos, comecei a treinar de verdade.

Todos os meus amigos, os que escalam e os que não, sempre me apoiaram em tudo, e me incentivaram, mesmo eu sendo uma garota tão jovem. De todas as pessoas, as que mais me apoiaram foram os meus pais, que sempre me fizeram acreditar que eu podia fazer o que eu quisesse!

E eles também me ajudaram em uma coisa, a superar o único obstáculo que eu tive: o medo! Eu me lembro muito bem que no dia anterior de eu conquistar algo muito importante na escalada, estava tentando fazer a via e comecei a chorar de medo, mas aí eles me disseram para não me preocupar que não tinha do que eu ter medo. E então no dia seguinte nós retornamos para a via e eu consegui superar tudo e "mandei" a via! Mas o mais importante para mim, de verdade, não foi "mandar" a via, foi vencer o meu medo. E eu não posso esquecer que os meus amigos também me ajudaram muito me incentivando a tentar.

Quer saber qual era a importância dessa via? Esta foi uma das minhas maiores conquistas: encadernar (chegar até o final) uma via de 8º grau. Você sabia que a escalada de via é graduada por números? Aqui no Brasil

Ilustração • Aline Casassa

nós temos de 3º a 11º, e o 8º é um grau que divide muito os escaladores, só 30% conseguem. Por isso fico muito contente com o que fiz! O ponto mais incrível é que eu fui a pessoa (homem ou mulher) mais nova (10 anos) a mandar uma via de 8º grau!

Depois disso as pessoas começaram a vir me dizer que eu era uma inspiração e que eu sou uma criança muito corajosa, e ainda por cima me diziam que eu era uma menina incrível! Eu não tenho palavras para expressar o que eu sinto quando escuto isso, apenas sei que me deixa muito feliz e que também me inspira a tentar mais coisas assim, para inspirar mais pessoas!

Se alguém me disser, depois de tudo isso, que garotas não são capazes, eu vou ter que discordar e dizer que isso é uma grande mentira, porque se eu consegui, todas conseguem! A única coisa que tenho a dizer para outras garotas é para que confiem nelas, que acreditem no seu potencial, que elas podem e vão conseguir fazer o que quiserem!

Ana Julya

Ilustração • Carolina Azambuja

A incrível menina que não aceita provocações

ANA JULYA, 8 ANOS, RIO DE JANEIRO (RJ)

Me chamo Ana Julya, tenho 8 anos e moro no Rio de Janeiro. Minha família sempre me incentivou a ler e fazer atividades culturais. Um dos meus passeios favoritos é visitar museus e exposições, e sonho em ser bióloga quando eu crescer. Outra atividade que eu gosto muito é jiu-jitsu. E de vez em quando gosto também de sentar num cantinho com meu caderno e escrever poesias.

Às vezes aparece algum menino dizendo que eu não posso ou não devo fazer algo, mas eu logo levanto minha voz e digo que eu posso fazer o que eu quiser. Eu lembro que minha mãe leu para mim o livro da Malala (jovem ativista paquistanesa, ganhadora do Prêmio Nobel da Paz) quando eu tinha 4 anos, e fiquei muito impressionada com as coisas que ela teve que enfrentar somente para que as meninas de seu país pudessem ir à escola.

Esse ano eu passei por uma situação muito ruim durante minha aula de jiu-jitsu. Um menino começou a caçoar de mim dizendo que eu e minha amiga éramos cegas (porque nós temos estrabismo). Eu senti muita raiva e fui correndo buscar ajuda da coordenadora. Eu contei toda a história a ela. E mesmo com muita raiva e chateada com a situação, eu me mantive firme e falei para ele que não aceitaria mais essa provocação!

Espero que ele nunca mais faça esse tipo de coisa com ninguém. Acho que nenhuma pessoa merece ser ofendida por ser diferente das outras. E eu continuo defendendo os direitos das pessoas de serem respeitadas, e de as meninas poderem fazer tudo aquilo que sonham, porque as meninas devem estar em todos os lugares desse mundo.

Bia

A incrível menina que luta por igualdade e respeito

BIA, 10 ANOS, OURO BRANCO (MG)

Meu nome é Bia. Tenho 10 anos e moro na cidade de Ouro Branco, no interior de Minas Gerais. Após ouvir uma música que falava de igualdade entre meninos e meninas, resolvi que deveria falar mais sobre o assunto. Então procurei minha professora para me ajudar a desenvolver um projeto. Queria discutir a importância do respeito e da igualdade entre homens e mulheres.

A ideia é realizar, na nossa escola, palestras que falem de violência contra a mulher, da mulher no mercado de trabalho, da mulher no esporte, da autoaceitação e dos padrões de beleza, das mulheres na literatura, no cinema e nas artes, das mulheres na política. No momento estamos esperando recursos, o que tem sido difícil, porque nossa escola fica localizada na zona rural e precisamos de apoio da prefeitura da nossa cidade. Conto com o apoio da minha escola e da minha família e espero que esse projeto se realize.

Algumas pessoas acham a ideia legal, e eu acho incrível a gente poder falar sobre isso, pois acho que as meninas podem fazer as mesmas coisas que os meninos. Hoje posso falar para outras meninas que podemos acreditar na nossa capacidade de sermos iguais!

Ilustração • Felipe Tognoli

Branca

Ilustração • Carolina Azambuja

A incrível menina que descobriu que pode fazer o que quiser

BRANCA, 11 ANOS. PASSO FUNDO (RS)

Branca é uma menina de 11 anos e mora em Passo Fundo (RS). É bastante ativa e gosta de fazer e experimentar várias atividades. Fez judô por cinco anos, e chegou a conquistar a faixa azul. Também fez robótica por um ano e experimentou programação! No seu tempo livre, gosta de brincar de jogos de tabuleiro, futebol, esconde-esconde e pega-pega.

Adora os games online! Foi sua prima que lhe ensinou, há alguns anos. Às vezes joga sozinha na internet. Já em outros momentos, gosta de jogar com outras crianças online. Seu pai joga com ela de vez em quando. Branca divide seu tempo entre jogos mais calmos e outros jogos mais aventureiros e agitados.

Branca parece não ver sentido quando algumas pessoas dizem que determinadas atividades não seriam para meninas, ou que só meninos fazem. É como se essa afirmação nem fizesse parte do mundo da menina. Assim ela diz: "Se você gosta de fazer aquela coisa, você pode fazer, como futebol, por exemplo".

A família dela apoia essas decisões e incentiva que ela tenha experiências diversificadas. A mãe de Branca, inclusive, faz aulas de bateria. Decidiram juntas começar essa nova experiência depois que retornaram de umas férias escolares. Aliás, Branca tem gostado muito das aulas de bateria!

E ela insiste: "Não importa o que as pessoas digam, a menina pode fazer o que quiser, o que achar legal". E se alguém comenta que algo não é de menina, é só dizer: "Isso também é de menina. Qualquer coisa pode ser de menina e de menino. Tocar bateria, jogar games e fazer judô, por exemplo, também são coisas de menina!"

Câmi

A incrível menina que tem cabelos superpoderosos

CÂMI, 15 ANOS, CONGONHAS (MG)

Sou a Câmi, tenho 15 anos e moro na cidade de Congonhas, uma das cidades históricas de Minas Gerais. Sempre fui muito chorona, não por ser uma menina mimada, como alguns pensavam, mas porque vivia recebendo apelidos dos meninos da escola. Eles zombavam de mim e eu não tinha reação nenhuma a não ser chorar. Me chamavam de bruxa, camelo, cabelo de bombril e outras coisas. E eu comecei a alisar o cabelo para impressionar as pessoas.

No fim do ano passado eu parei de usar química e comecei a usar trancinhas coloridas. Usei preta, azul, lilás, roxa e vermelha. Os meninos pararam de mexer comigo, mas eu não estava satisfeita. Foi aí que a minha professora de Educação Física, Amanda, entrou em cena. Ela me perguntou "Por que você não tenta usar o seu cabelo natural?" Eu respondi que não, pois os meninos voltariam a me perturbar. Ela me aconselhou dizendo que eu tinha que gostar do meu cabelo do jeito que ele era. E eu fiquei pensando nisso.

Após essa conversa, surgiu uma viagem para a cidade de Arcos para participarmos dos Jogos Escolares. Eu amo esporte! Eu resolvi tirar as tranças antes da viagem, mas não deixei meu cabelo natural, eu o escovei. Lá em Arcos, a minha amiga Isadora se ofereceu para arrumá-lo e cacheá-lo e eu criei coragem e deixei. Amei! Eu me senti ótima com meu cabelo natural e decidi que nunca mais iria mudar de novo, graças aos conselhos da professora Amanda, da minha mãe e das amigas que me ajudaram a encarar isso tudo.

Ilustração • Carolina Azambuja

Não vou mentir, ainda tem pessoas que praticam bullying comigo. Mas não ligo. Minha postura mudou. As opiniões delas não me interessam mais. Eu sou feliz do jeito que sou! Aprendi que não existem obstáculos que me impeçam de ser eu mesma e, ainda que apareça algum desafio, eu vou passar por ele e continuar sendo quem eu realmente sou.

Quero que minha história incentive pessoas que sofrem qualquer tipo de discriminação, preconceito ou bullying a não abaixarem a cabeça e acreditarem que são perfeitas do jeito que são.

Seja sempre você mesmo independente da opinião dos outros. Você tem que se amar do jeito que você é.

Eulália

Ilustração • Felipe Tognoli

A incrível menina que descobriu que coragem não tem idade

EULÁLIA, 6 ANOS. PORTO ALEGRE (RS)

Essa é a história de uma menina chamada Eulália, que vive em Porto Alegre. Logo depois que completou 6 anos, ela resolveu cortar o cabelo bem curtinho, pois não gostava de pentear o cabelo e queria se livrar desse incômodo. Quando ela falava que ia cortar, ouvia das pessoas: "mas vai ficar igual a um menino", "vai sentir frio no inverno", entre outras coisas. Mesmo assim, não desistiu da sua decisão.

– Muita gente dizia que eu estava cortando só pra não cuidar do cabelo. É que puxavam o meu cabelo na hora de pentear na escola. Doía às vezes – conta Eulália.

Foi então que chegou o dia de ir ao salão. Antes de sentar-se na cadeira, decidida a cortar curtinho, ela foi questionada pelo cabeleireiro:

– Tem certeza, Eulália?

A menina olhou para o cabeleireiro e para as outras pessoas ao redor e respondeu:

– Coragem não tem idade!

Todos riram e a apoiaram.

Hoje Eulália está muito feliz com seu cabelo curtinho e acha graça quando a confundem com um menino.

Nesse tempo todo, ela se incomodou um pouco com as observações das pessoas, mas também teve muito apoio da família e de amigos e amigas. Enquanto alguns/as colegas falavam que ela não devia ter cortado, muitos/as a elogiavam.

Ao final, a menina aprendeu a lidar com tudo que ouviu e reforça:

– Não me importei muito com isso. E ninguém deveria se importar, não é mesmo?

Juju

A incrível menina que veio do futuro

JUJU, 4 ANOS, NASCEU EM SÃO PAULO (SP) E VIVE EM BOGOTÁ (COLÔMBIA)

Juju tem 4 anos, é natural de São Paulo (SP) e já morou em quatro países, contando com o Brasil. Aos cinco meses se mudou para Nova York, nos Estados Unidos, pouco depois foi para a Cidade do México e agora vive em Bogotá, na Colômbia. Nunca teve problema com partidas e chegadas. Talvez tenha vindo ao mundo com o chip da adaptabilidade.

Desde que se entende por gente ama brincar com carrinhos e super-heróis. Seu aniversário de 3 anos foi de Batman, Super Man, Hulk e Capitão América. A dúvida era se usava seu macacão de Homem de Ferro ou o vestido de Batgirl. Ficou com a segunda opção porque a primeira fantasia já estava meio apertada. No ano seguinte, a festa foi de Frozen e ela vestiu a roupa de Elsa ("Mãe, você faz aquela trança de lado?, ela pediu"), mas a decisão foi de última hora, porque durante a visita ao salão de festas, o tema escolhido havia sido Minions.

Na cabeça dela não existe coisa de menino ou de menina (ufa!), tudo é de todo mundo. Atualmente seus personagens favoritos são todos cachorros: a Patrulha Canina e a dupla Bingo e Rolly. Mas seu animal preferido é o dinossauro; tem umas cinco camisetas diferentes do bicho.

Outro dia a professora mandou umas fotos da turma. Num canto as meninas brincavam com bonecas. Em outro a Juju estava rodeada de meninos jogando dominó. A mãe achou engraçado e comentou com a professora, que disse: "aqui em sala de aula, Juju adora jogos que estimulam o raciocínio. Talvez por ter duas irmãs mais velhas, ela seja 'puxada' pra frente".

Porque, sim, ela acha que tem a idade das irmãs e que pode fazer tudo como elas. E por que não? Ela também brinca de boneca com a irmã do meio, que ama American Girls. "Gabi, vamos fingir que ela quebrou a perna?". Assim como adora colorir, cantar e dançar com a irmã mais velha.

Em um dos momentos de férias, a família toda foi aos parques de diversão da Califórnia e a baixinha foi a todas as montanhas-russas, sem medo de ser feliz! Ao sair da Space Mountain, uma toda escura, gargalhou: parece um carro voador!

Parece até que a Juju nasceu no futuro. Como se o feminismo (já) tivesse ganhado a luta e não houvesse diferença alguma na vida de homens e mulheres. Juju já vive nesse mundo. Ela não distingue. Ela sabe que pode tudo. Que pode encarar um carro em alta velocidade, que pode ser uma heroína de verdade, que pode ter azul como sua cor favorita, e que às vezes também pode gostar de rosa, que pode acolher seu coala no colo como se fosse um bebê, que pode ser uma princesa com poderes congelantes. Ela quer? Ela pode. Ela faz.

Ilustração • Carolina Azambuja

Ilustração • Aline Casassa

A incrível menina cuja vida é uma aventura

LAURA, 9 ANOS, CANOAS (RS)

Me chamo Laura, moro em Canoas (RS) e tenho 9 anos. Estou na 4ª série na escola e tenho muitas amigas na minha turma, entre elas a Lara e a Bruna, que são minhas melhores amigas. Estou aqui "conversando" com vocês para incentivá-las, pois tudo que uma menina faz, as outras também podem fazer.

Eu sou escoteira do grupo Inhanduí. Lembram da minha amiga Lara? Ela também participa do grupo de escoteiros comigo. Já fizemos trilhas, acampamentos e acantonamentos. Meu primeiro dia nos Escoteiros foi bem legal. Me lembro do dia em que eu ganhei o lenço como se fosse hoje. Foi em um acampamento, eu tinha 6 anos e não parava de perguntar que horas eu iria ganhar o lenço. Quando chegou a hora, vi que não era a única que ia ganhar, e foi emocionante! Ser escoteira é colecionar aventuras!

Teve uma vez em que o acampamento foi em uma fazenda. Eu e as outras crianças escoteiras vimos duas ovelhinhas filhotes e colocamos nomes nelas. Em outro acampamento, eu, a Bia e a Cecília (minhas amigas escoteiras) ficamos sabendo que lá havia um lagarto. A Bia ficou morrendo de medo que o lagarto entrasse na nossa barraca. A Bia tem 6 anos e a Cecília, 9. Eu e a Cecília explicamos para a Bia que ele, o lagarto, não poderia entrar na nossa barraca e ajudamos ela a vencer o medo. No outro dia do acampamento era meu aniversário de 9 anos, por isso no final, todos do grupo me abraçaram e cantaram parabéns.

Agora para finalizar, eu escolhi três conselhos para dar a todas as meninas incríveis:

1. Ninguém deve dizer o que você é ou não capaz de fazer.

2. Sabe quando você deve desistir de alguma coisa? Quando conseguir realizar essa coisa!

3. Siga os seus sonhos, eles podem se realizar.

Luciana

A incrível menina que descobriu que princesas soltam pum

LUCIANA, 7 ANOS, SANTA MARIA (RS)

Sou uma menina de 7 anos, divertida e que adora brincar, e você pode me chamar de Luciana. Atualmente moro em Santa Maria, mas já morei em outras cidades e troquei muito de escola. Já estudei em escolas públicas e privadas, vivendo histórias fantásticas sobre o que é ser menina hoje em dia.

Uma dessas histórias aconteceu quando eu tinha um pouco mais de 2 anos, quando eu estava numa escola pública de Novo Hamburgo. Minha mãe conta que eu não gostava de princesas, muito menos de ser chamada de princesa.

Eu gostava de brincar com tintas, correr, criar brincadeiras e detestava amarrar o cabelo e colocar fitas ou outros enfeites. Na verdade, sou assim até hoje. Mas sempre me dizem que menina deve andar arrumada, bem penteada e cheia de "frufru". Não gosto de muitos enfeites, pois atrapalham a brincadeira, e minha família respeita isso, principalmente porque meninas não precisam ser "embonecadas" para serem garotas.

Então, descobri que tudo bem pensar e ser assim. Um dia, minha professora leu a história da princesa que soltava pum e mudou minha ideia sobre o que é ser princesa. Princesas, assim como as meninas, soltam pum, ficam descabeladas e podem ser o que elas gostarem de ser, pois o mais importante é que todas as meninas podem ser fortes e poderosas, descabeladas ou não!

Ilustração • Carolina Azambuja

Maria Eduarda

Ilustração • Carolina Azambuja

A incrível menina que redescobriu as cores

MARIA EDUARDA, 16, PORTO ALEGRE (RS)

Maria Eduarda é uma menina muito inteligente, corajosa, bonita e guerreira. Tem 16 anos e mora na cidade de Porto Alegre. Apesar de ter passado por um período cinza, ela abe que há muitas cores para colorir sua vida (e seu cabelo). Desde que nasceu, recebia muito carinho da sua avó e do seu avô. Sua mãe também era muito importante para ela. Ela tem um pai de sangue e um pai de coração, que a trata muito bem, mesmo não convivendo mais com sua mãe.

Ela tinha por volta de 8 anos quando descobriu que há pessoas boas e pessoas não tão boas assim, ou até más. Um companheiro de sua mãe fez coisas que não são certas com a menina, coisas que não são de crianças, e sim de adultos. Isso a deixava triste e a machucava.

Depois de um tempo, Maria Eduarda, corajosa que só, ainda que com medo, conseguiu buscar ajuda e denunciar aquele homem que não a tratava bem e não respeitava seu corpo e nem sua infância.

Mesmo com tanta coragem, seus dias ficavam cada vez mais cinzentos, porque a menina achava que tudo era culpa dela, que as coisas ruins que tinham acontecido eram porque ela tinha deixado.

Seu coração ficou bem pequenininho e o mundo bem grandão, chegava até a assustar.

Ainda bem que pessoas muito legais ajudaram Maria Eduarda a entender por que o coração dela tinha ficado pequeninho, e a fizeram perceber que quem tinha feito coisas erradas era aquela outra pessoa, não ela. Não era responsabilidade dela, mas do adulto que a maltratou.

Foi então que a menina começou a olhar pela janela e enxergar as cores de um dia ensolarado, e a perceber o sorriso das pessoas que a ajudavam, e aos poucos até o seu sorriso começou a colorir! Maria Eduarda voltou a estudar e a ter ideias muito boas para novos projetos. E a cada dia alimenta seu coração um pouquinho para que ele sempre lembre de tantas cores e alegrias ao seu redor. Até pintou seu cabelo de verde! Assim, cada vez que se olha no espelho, sabe a menina incrível que é!

Michelle

A incrível menina que decidiu ser campeã

MICHELLE, 17 ANOS, PORTO ALEGRE (RS)

Tudo começou em 2008, no primeiro ano no Ensino Fundamental, quando aprendi a jogar xadrez. Esse jogo me encantou desde cedo. Logo comecei a participar de torneios e campeonatos, mas, confesso, eu não era muito boa. Por muito tempo participei das edições anuais do torneio municipal, e não ganhava muitas partidas. Muitos me disseram para desistir, que isso não era coisa de menina. Mas eu não estava competindo para vencer, meu objetivo era me divertir.

Com o passar dos anos fui aprendendo e me aperfeiçoando. Para minha surpresa, em 2016, conquistei minha primeira medalha na modalidade, 7° lugar no torneio aberto municipal. Lembro-me muito bem desse dia: além de mim, só havia mais uma menina no pódio.

Não sei exatamente o que me motivou a continuar jogando xadrez. Eu vivia ouvindo piadinhas de mau gosto, não tinha técnico, nem equipe – e parecia que nem talento. Acho que eu só era cabeça-dura mesmo. Mas o fato é que aquela medalha foi uma faísca, e a partir daquele dia minha vida mudou completamente.

Naquele ano criaram um grupo de xadrez na escola onde eu estudava e passei a me reunir com meninas e meninos para praticar. Ainda não era muito boa, mas a presença de outras meninas na equipe me incentivou a continuar jogando e engajando mais gurias no esporte.

Em 2017, mudei de escola. Era tudo diferente, o xadrez não tinha nenhum tipo de apoio e era pouco popular. Onde eu moro não há muitas competições dessa modalidade. Por isso, decidi ir até Alvorada (RS) jogar uma seletiva para a Copa Brasil de Xadrez Escolar. Para esse torneio, estudei e pratiquei muito com os amigos que eu tinha feito na nova escola. Chegado o grande dia eu me sentia confiante, e eu devia estar mesmo, pois consegui me classificar para a fase final.

A fase final seria em Petrolina (PE), no Nordeste do Brasil. Com o apoio da minha família, comecei a buscar recursos para viabilizar a viagem por meio de financiamento coletivo. Os jornais locais divulgaram as ações e recebi doações, mas as coisas andavam devagar e o tempo era curto, então bati de porta em porta buscando empresas para patrocinar minha participação. O dinheiro que consegui arrecadar só era suficiente para a viagem de uma pessoa, por isso atravessei o país sozinha atrás do meu sonho de colocar minha cidade no cenário nacional do xadrez.

Em Petrolina, o aprendizado parecia não ter fim! No final do torneio recebi o tão sonhado título de Campeã Brasileira da categoria sub-16 feminino. Me senti incrível!

Desembarquei em Porto Alegre no dia seguinte, com um sorriso no rosto, um troféu na mão e a bandeira da minha cidade amarrada nas minhas costas. Depois, tudo aconteceu como em um sonho: entrevistas em rádios e jornais, carreata com o caminhão de bombeiros. Sensacional! Nessa jornada eu adotei como filosofia a frase de Nelson Mandela: "Eu nunca perco, ou eu ganho ou eu aprendo".

Em 2018 eu fui além e participei do Campeonato Sul-Americano Escolar de Xadrez, no qual fiquei entre as cinco melhores da América do Sul! E continuo participando e incentivando mais meninas a participar desse esporte também!

Ilustração • Felipe Tognoli

Valentina

A incrível menina que lutou por seus desejos

VALENTINA, 5 ANOS, PORTO ALEGRE (RS)

Oi, eu sou a Valentina, uma menina bem serelepe que adora brincar de muitas coisas. Tenho 5 anos e moro em Porto Alegre (RS). Quando eu estava com 3 anos, surgiu na escola a opção de fazer aula de balé ou capoeira. Meu pai ficou encantado e decidiu que me colocaria na aula de balé, afinal, segundo ele, "o mundo cor-de-rosa me esperava". Eu não conhecia nenhuma das duas aulas, então fui para o balé para conhecer.

Eu ia nas aulas, mas não me sentia à vontade nem com as danças nem com as roupas e penteados necessários para essa atividade. No dia da apresentação, toda minha família foi me assistir no teatro. Eu, muito chateada e contra minha vontade, fui, até chorei e pedi para a mamãe ficar comigo no palco, mas disse que seria a última vez que eu dançaria.

Passados alguns dias, minha mamãe estava fazendo a decoração das festas de fim de ano. Eu adoro ajudar, principalmente porque ela ia usar a cola quente, algo maravilhoso que gruda tudo aquilo precisamos. Então grudei na coragem e na determinação e disse para minha mãe:

– Eu não quero mais fazer balé, quero fazer capoeira!

A mamãe conversou comigo e disse que tudo bem, que no ano seguinte eu iria participar das aulas de capoeira sem problemas.

Na minha escola, por enquanto eu sou a única menina que faz capoeira.

Eu adoro esse momento, porque faço muitas atividades divertidas e desafiadoras, como virar estrelinha, andar como caranguejo, fazer ponte, borboleta, gatinho e tantas outras com meus amigos.

O professor de capoeira se chama Tatuíra (como aquele bichinho que se esconde na areia da praia depois que a onda passa, sabe?). Ele traz instrumentos musicais para a gente tocar. Já toquei pandeiro, tambor, agogô, reco-reco e berimbau. A música da capoeira tem um movimento divertido que se chama ginga, e acompanha o ritmo, e o berimbau faz um som engraçado: "tem-tem-tem-tem."

Eu adoro o professor, as músicas, as brincadeiras e os colegas das aulas de capoeira. Nós brincamos no pátio, ao ar livre e com roupas confortáveis, podemos ficar até de pé no chão.

Eu desejo que muitas outras crianças se encorajem e sejam valentes na escolha de fazer o que mais gostam. Que possam se grudar nos seus desejos com alegria e determinação.

E desejo também que esta e muitas outras histórias sejam como as ondas que vão e vêm, trazendo sempre novas inspirações!

Ilustração • Felipe Tognoli

Victória

A incrível menina que aprendeu a defender o que pensa

VICTÓRIA, 10 ANOS, IBIRAQUERA (SC)

Sou a Victória, tenho 10 anos e moro em Ibiraquera (SC). Uma vez, eu estava no jardim A da escola de uma outra cidade, tinha uns 4 anos mais ou menos, e no recreio brincávamos de várias coisas. Um dia deu o intervalo e uns meninos estavam brincando de carrinhos. Eu olhei e vi que a brincadeira estava muito legal, então cheguei perto e perguntei se eu podia brincar com eles. Eles falaram que eu não podia brincar de carrinho pelo fato de eu ser menina.

Naquele dia fui para casa depois da escola e perguntei para a minha mãe por que eles tinham falado aquilo, já que eu queria também brincar e não via problema. E ela me falou que não estava certo, que menina pode fazer, brincar, jogar o que quiser e que as mulheres da minha família, aliás, dirigiam muito bem!

Compramos, então, carrinhos para mim. Tinha um preto igual ao nosso carro na época, que minha mãe dirigia todos os dias para me levar na escola. Eu chamava ele de "black". No outro dia, levei os carrinhos para escola, brinquei com os meninos e expliquei que, sim, meninas brincam de carrinho!

Em outra situação, eu já estava com 6 anos, lutava judô e tinha que fazer o exame de faixa para trocar da cinza para a azul, mas tive que fazer em outra escola porque eu ia viajar no dia marcado do exame na minha escola. Quando cheguei lá, percebi que eu ía competir com um menino. Por mim tudo bem, mas vi que ele desdenhou para o pai dele e achou engraçado que ia lutar com uma menina.

Meu pai e minha mãe me incentivaram muito antes de eu ir, me disseram: "Vai lá e dá o teu melhor". Quando vi que o menino achou graça, me esforcei mais ainda e venci ele. Foi ótimo, me senti forte! Recebi a faixa azul e me orgulhei muito!

Quando as coisas desse tipo acontecem, eu penso que é normal as meninas irem lá e fazerem as coisas. E quando acontece de algum menino dizer algo como "meninas não podem", vou lá e faço. Então sempre me sinto mais forte a cada conquista, e os desafios que vierem, eu vou lembrar do empoderamento feminino e dar o meu melhor. E se me perguntam "O que é empoderamento?", eu respondo que é o poder que as mulheres têm. E que cada um, seja menino ou menina, tem que ter direitos iguais.

Eu penso que todos somos iguais e diferentes ao mesmo tempo. Todos merecem direitos iguais, ou seja, podem fazer as mesmas coisas e receber as mesmas coisas. E cada vez que vejo um menino se colocando acima de uma mulher, eu defendo. E quando acontece isso comigo, eu faço o mesmo, me defendo!

Ilustração • Aline Casassa

A incrível menina
que _____
_____
_____

COLE AQUI
A SUA FOTO
OU DESENHO

Mensagem Final

Ficamos muito felizes que você tenha chegado até o final do livro. Você conheceu as histórias dessas meninas incríveis e temos certeza de que, de um jeito ou de outro, este livro lhe trouxe inspiração!

A rede de meninas incríveis vai muito além das páginas desta coletânea. Percorre todas as possibilidades de conexões, relacionamentos e parcerias, para que se fortaleça cada vez mais e para que mais meninas possam descobrir todo o potencial que têm para fazerem coisas incríveis.

Então, agora, que tal você pensar naquela ideia de projeto que tem em mente, naquela conversa, naquela atitude, naquele hábito que você gostaria de transformar? O principal foco do empoderamento de meninas é mostrar que cada uma pode ser protagonista da sua vida, o que significa dizer que todas devem reconhecer em si a peça-chave para a mudança.

Respire fundo, sinta o que o seu coração lá no fundo diz, não dê ouvidos para o que os outros vão falar e defina o que de melhor você quer para sua vida, para seus planos, para seu dia a dia. Busque pessoas que possam incentivar e aconselhar você, escute adultos em quem você confia e que possam guiá-la, busque parcerias que possam tornar possíveis os primeiros passos, conecte-se com meninas e mulheres que podem incentivá-la. Seja você também a pessoa que vai inspirar outras meninas. Mas lembre-se: respeite suas ideias, seus sentimentos, seu corpo, seu bem-estar. E faça as outras pessoas respeitarem também.

Se encontrar alguém que não acredite nas suas ideias e no seu potencial, não dê importância. Se você se olhar no espelho e não acreditar que é possível, respire fundo, olhe pela janela, saiba que a força e a determinação que você precisa estão dentro de você.

Faça brilhar a estrela que você é e conecte-se com a constelação de meninas incríveis que estão espalhadas por aí, prontas para fortalecer, para fazer junto, para transformar, para ser e para transbordar, para inspirar que mais e mais meninas sejam cada vez mais incríveis!

Este livro foi composto nas fontes
Avaline Script, Moon Flower Bold e Charlie,
impresso pela Gráfica Assahi e publicado
na primavera de 2019 pela Pólen Livros.